“拯救水蚕大作战”中遇见的水蚕们

蜻科的小伙伴们（赤蜻等）

秋赤蜻的稚虫

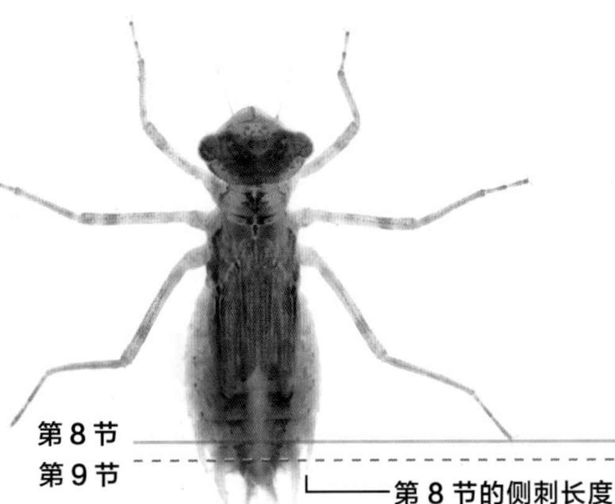

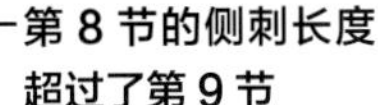

末龄稚虫的体长约 18 毫米。稚虫期不满半年。生活在水田、湿地等区域。分布在北海道至九州地区。

成虫

体长约 40 毫米。在炎热的夏季会飞往气候凉爽的高山地区。等到了秋天，气温下降后再返回产卵。

大赤蜻褐顶亚种的稚虫

末龄稚虫的体长约 18 毫米。稚虫期不满半年。生活在水田、湿地等区域。分布在北海道至九州地区。

成虫

体长约 40 毫米。特点是在翅膀的顶端有着黑色色带。产卵期会从林间飞到水边聚集。

黄蜻的稚虫

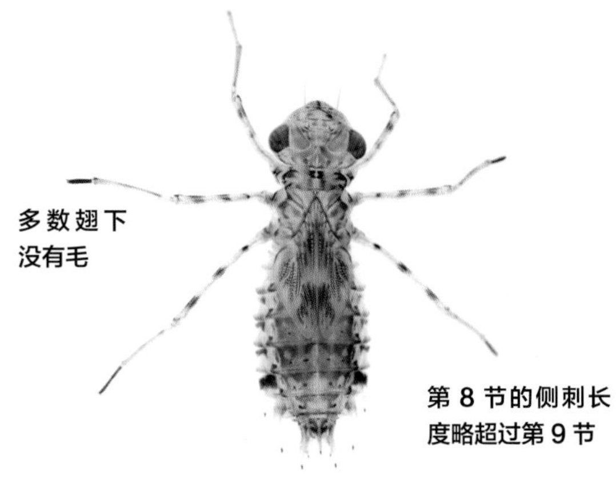

末龄稚虫的体长约 23 毫米。稚虫期不满 2 个月。生活在水田、湿地或水洼等区域。分布于日本全国，在世界各地也都分布广泛。

成虫

体长约 45 毫米。拥有宽大的翅膀和较轻的体重，能适应长途飞行。

蜻科的小伙伴们（白尾灰蜻等）

白尾灰蜻的稚虫

与长相相似的异色灰蜻稚虫的区别

白尾灰蜻没有背刺，而异色灰蜻有。

末龄稚虫的体长约 22 毫米。稚虫期不满 1 年。生活在水田、小河等区域。分布在北海道至九州等地区。

成虫

体长约 52 毫米。羽化后会在草地短暂生活，到了产卵时在水边聚集。

蜓科的小伙伴们

碧伟蜓的稚虫

与长相相似的黑纹伟蜓稚虫的区别

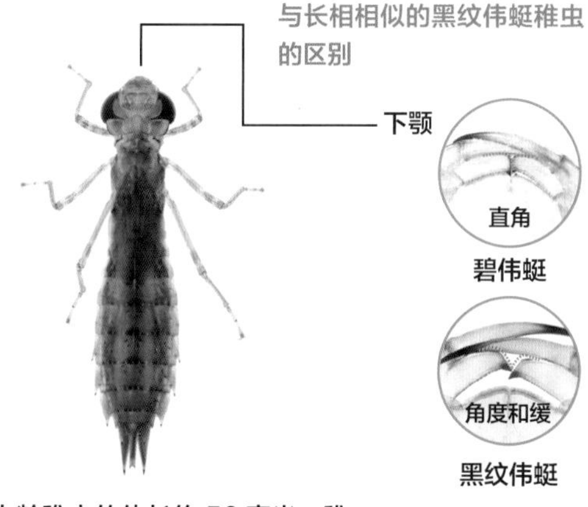

末龄稚虫的体长约 52 毫米。稚虫期不满 1 年。生活在阳光充足的池沼和水田等区域。分布在北海道至九州等地区。

成虫

体长约 70 毫米。羽化后生活在草原或树林中，产卵期在水边聚集。与别的蜓科不太一样的是，产卵时雄性和雌性身体是连接在一起的。

蟌科的小伙伴们

东亚异痣蟌的稚虫

与其他蟌科小伙伴的区别

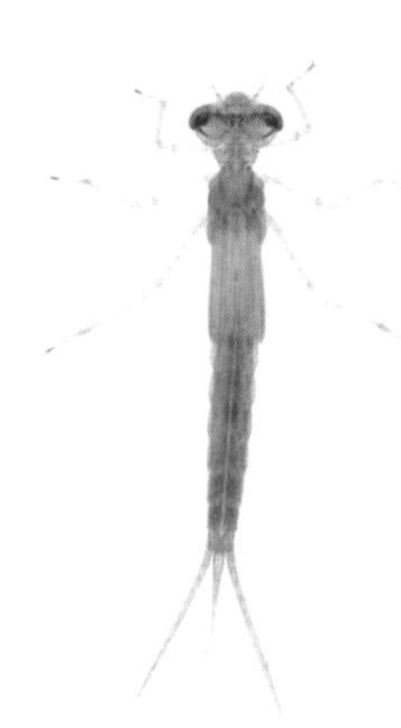

与褐斑异痣蟌的稚虫十分相似，难以判断。羽化后根据成虫判断比较准确。

末龄稚虫的体长约 18 毫米。稚虫期不满 1 年。生活在水草丰盛的池沼中。分布在北海道至九州等地区。

成虫

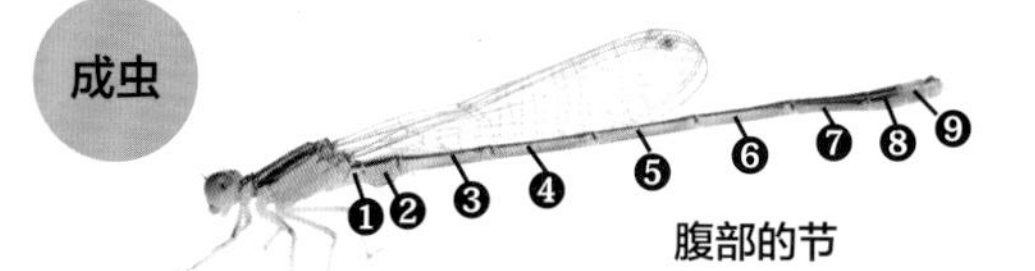

体长约 29 毫米。羽化后生活在草原或树林中，产卵期在水边聚集。东亚异痣蟌的第 9 节、褐斑异痣蟌的第 8 节呈蓝色。

自然侦探团

ZIRAN ZHENTANTUAN

蜻蜓的秘密

学校プールのヤゴのなぞ

目录

[日]星辉行/著 光合作用/译 博得自然/审订

CNS | K 湖南科学技术出版社

空中飞翔的黄蜻

大家见过城市中成群飞舞的蜻蜓吗？很多人一定会好奇它们究竟从何处而来。

根据调查，除了池塘、小河等这样的水边区域，在秋天到早春这段时间，即使是在学校泳池中，也可以发现大量的水虿（蜻蜓的稚虫，下同）。为了拯救那些游泳课前会被清理并冲入泳池下水道的水虿，杉并第七小学的孩子们告诉我他们决定行动起来。

我一直很疑惑水虿到底是如何在学校泳池中生存的。因此特意拜托了学校，申请对学校泳池里的水虿进行为期一年的观察。

实施“拯救水虿大作战”的学校泳池在不使用期间会用消毒水进行消毒，这类环境下水虿是无法生存的。

“拯救水蚤大作战”开始!

6 月，我接到“拯救水蚤大作战”正式开始的通知后，迫不及待地赶往小学。放水后的泳池里只有浅浅的一层水，孩子们都慢慢地聚集在一起。

为了推动“拯救水蚕大作战”行动在学校展开，来自杉并环境 NETWORK 的老师指导了学生们如何去救助水蚕。孩子们纷纷拿起网兜走进泳池。“拯救水蚕大作战”正式开始！

孩子们用网兜在水底探索着，专注地寻找水蚕。最终有没有发现什么呢？

黑纹伟蜓的卵，从水蚕到成虫阶段都是这个状态。

拯救水蚕

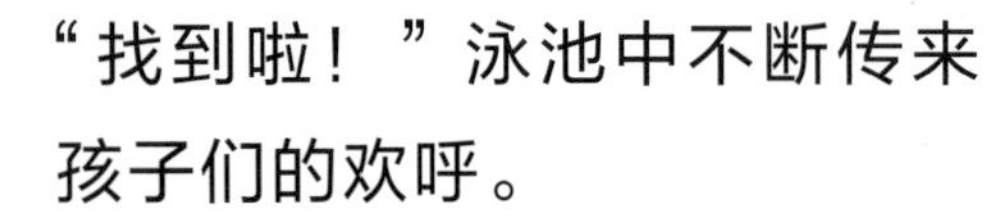

“找到啦！”泳池中不断传来孩子们的欢呼。

泳池里放置的芦苇帘上趴着刚刚羽化的秋赤蜻和日本雨蛙。

喧闹声中夹杂着鸟鸣，感觉一同寻找水虿的并不只有孩子们。

捕食水虿的白鹡鸰黑背眼纹亚种

活动进行过半，越来越多的孩子找到了水虿。究竟能发现多少呢？我非常地期待。

“拯救水蚕大作战”的成果

经过计算，孩子们总共找到了 800 只水蚕！

这些大多数是赤蜻类的稚虫，以大赤蜻褐顶亚种的居多，其他还有白尾灰蜻和东亚异痣蟌的稚虫。

被救出的水蚕一部分养在三年级的教室里，剩下的被孩子们以及杉并环境 NETWORK 的老师带走了。

“拯救水蚕大作战”圆满成功！我也收到了一些水蚕。

让我们看看群落生境的情况

“拯救水虿大作战”结束后，校舍前另一处小小的群落生境[1]落入我的眼帘之中。我们用网兜在水草茂盛的池水中搜寻一圈，发现了黑纹伟蜓的稚虫。

1 群落生境即“Biotope”，指原生地多种野生生物自然生存的环境。

网兜中黑纹伟蜓的稚虫

泳池中水虿的华丽变身

几天后，带回来的水虿开始了羽化。

秋赤蜻的羽化

因为羽化是半夜开始、清晨结束，我充分体会到睡眠不足的痛苦。而我白天不经意地看了一眼装水虿的容器，发现白尾灰蜻已经开始了羽化，所以有的品种也是可以在白天羽化的。

塑料瓶中开始羽化的大赤蜻褐顶亚种

在其他学校的泳池中又能发现什么样的水蚕呢？对此非常好奇的我立刻开始寻找可以提供场所的小学。因为如果不快些找到，这些水蚕很快就都会变成蜻蜓了！

东亚异痣蟌的羽化

白尾灰蜻在白天羽化。

在自然资源丰富的小学中的调查

我们来到了位于东京都西多摩郡的平井小学。这里四面环山，自然资源丰富。我非常期待在这里能有不一样的发现。

平井小学的泳池与杉并第七小学不太一样。泳池的四周没有草木，池底几乎没有落叶。

泳池里出现了稀有的森树蛙，这正是这里自然资源丰富的证据。

我们立刻用网兜进行探索，发现了很多在杉并第七小学没有见过的生物。它们多数是能够飞行，在泳池来去自由的昆虫。

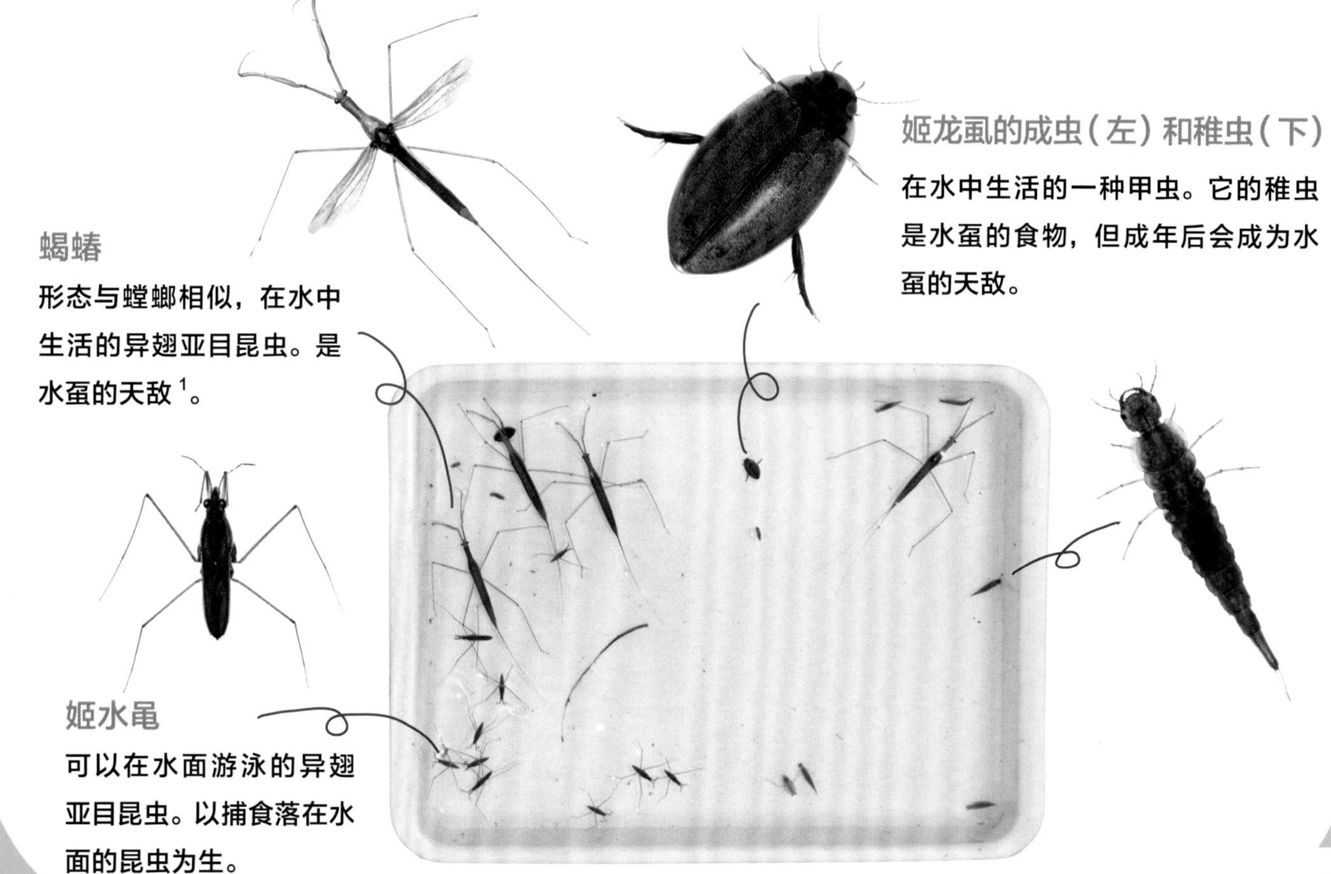

蝎蝽

形态与螳螂相似，在水中生活的异翅亚目昆虫。是水虿的天敌[1]。

姬龙虱的成虫（左）和稚虫（下）

在水中生活的一种甲虫。它的稚虫是水虿的食物，但成年后会成为水虿的天敌。

姬水黾

可以在水面游泳的异翅亚目昆虫。以捕食落在水面的昆虫为生。

1 天敌是指专门捕食或危害另一种生物的生物。

在美丽的小河中生活的水虿们

周边小河中的生物展示

但是我并没有发现水虿的踪迹。此时我想到了平井小学走廊中的展示板。

因此决定去平井小学旁边的平井川找一找。

我们很快从河底捞出了很多水虿，而且几乎都是学校泳池中没有见过的品种。

艾氏施春蜓的稚虫

黑色蟌的稚虫

平井川

圆大伪蜻的稚虫

藏在泥土中的马奇异春蜓的稚虫

我就这么一直等到了夜幕降临，期待也许可以看见水蚕的羽化过程。

小河里的蜻蜓大变身

太阳慢慢落下，天色由红渐渐变青。我们在水边安静地寻找着，很快发现了水面浮木上静立着的水蚕，那是马奇异春蜓的稚虫。

它的身体保持着直立状态。不同蜻蜓的羽化方式都各不相同。

7 : 44 PM（下午，下同）

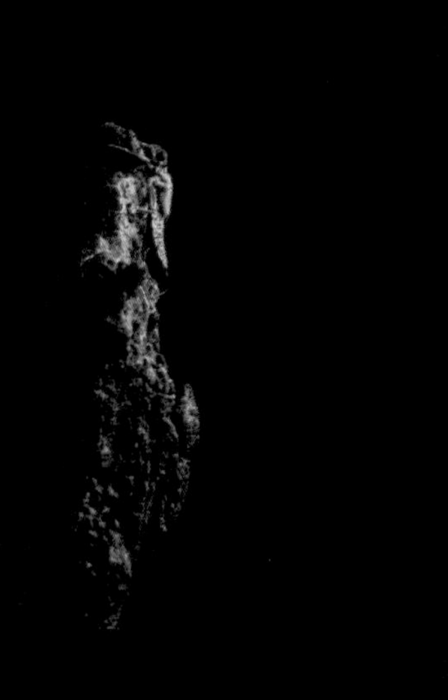

7 : 52 PM

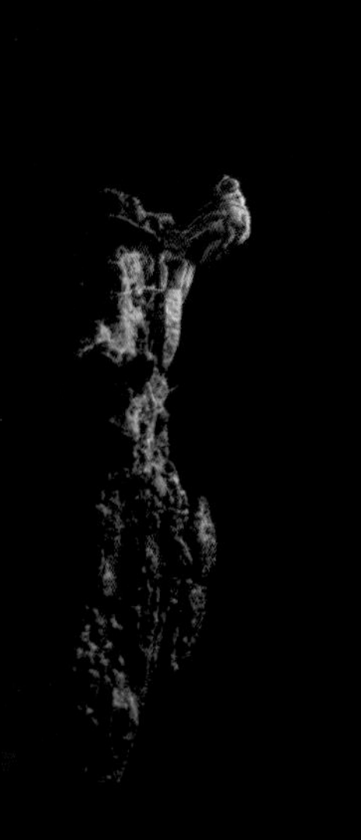

7 : 55 PM

8 : 00 PM

8 : 01 PM

即使周边的自然条件非常好，我们依然没有在学校的泳池中发现水虿。可见泳池周边的环境也是非常重要的。

水边发光的源氏萤

水虿身体的秘密

在泳池上方飞舞的碧伟蜓

进入 7 月，泳池里充满了孩子们的欢声笑语。在游泳课结束之前，我们先了解一下水虿的身体结构。

为了能在水中呼吸，水虿肛门附近的直肠或尾部着生鳃。

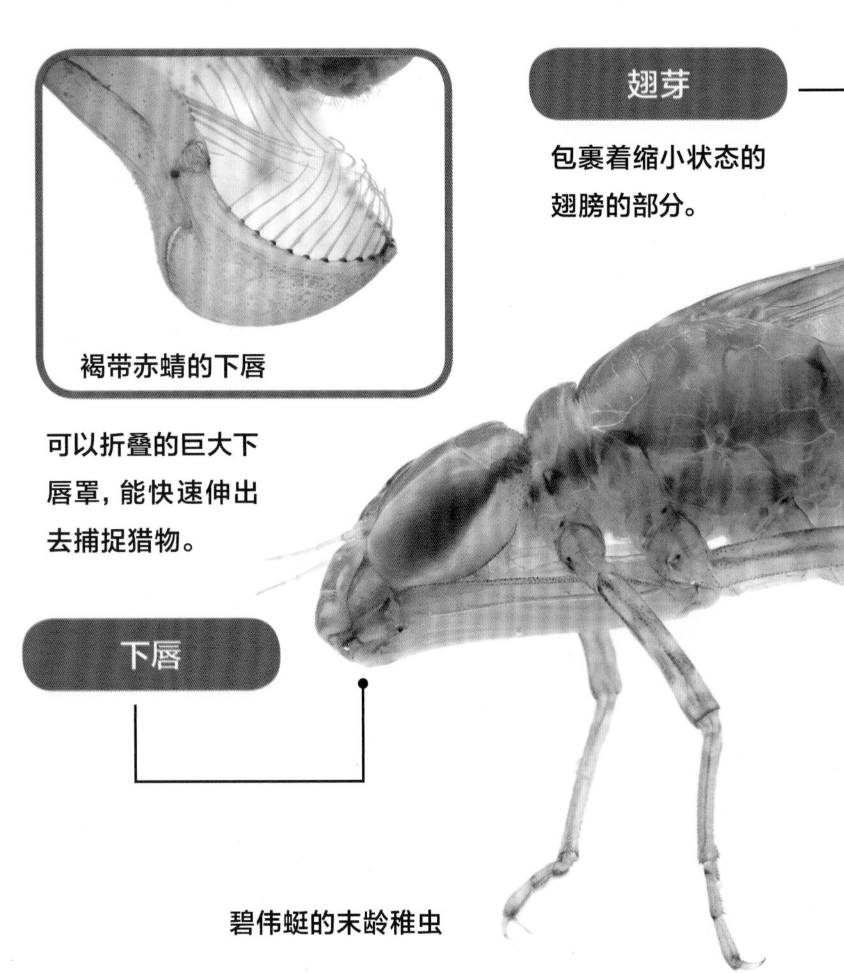

碧伟蜓的末龄稚虫

尾部

由被称为肛附器的突起和扇动的尾鳃组成。

游动的东亚异痣蟌

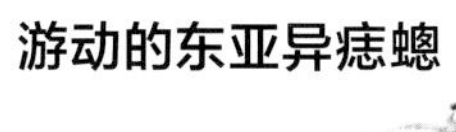
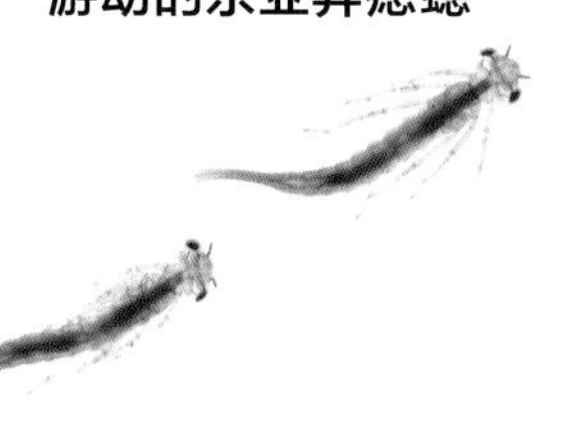

通过尾部尾鳃左右摇摆来游动。

游动的黄蜻稚虫

通过尾部肛附器喷出水流来游动。

身体颜色

即使是同一种类的水虿，身体颜色也会不一样。

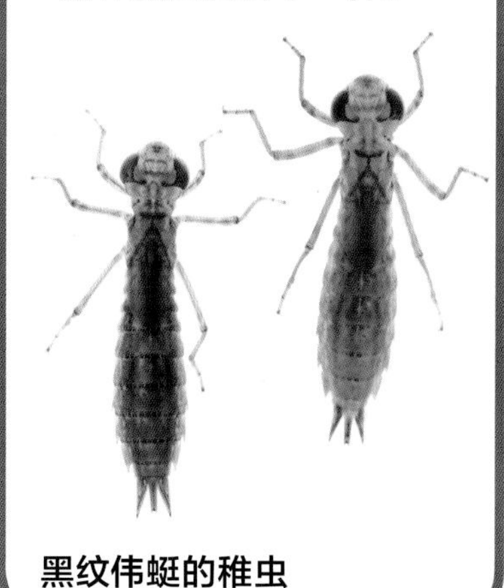

黑纹伟蜓的稚虫

雌雄的分别

黑纹伟蜓的腹部

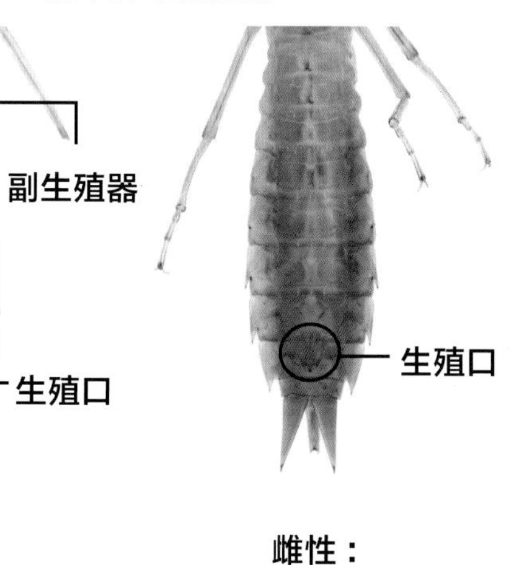

雄性：
副生殖器和生殖口

雌性：
生殖口

让我们看看蜻蜓稚虫们的生活环境吧

8 月，夏天进入了尾声。我开始对水蚕们的生活环境进行观察。

巨圆臀大蜓的稚虫

角斑黑额蜓的稚虫

褐带赤蜻的稚虫

黑纹伟蜓的稚虫

异色灰蜻的稚虫

白尾灰蜻的稚虫

碧伟蜓的稚虫

在学校泳池中生活的水蚕多数喜欢明亮的环境。我们在明亮的池水中发现了东亚异痣蟌和大赤蜻褐顶亚种的稚虫，以及在学校泳池中没有找到的碧伟蜓的稚虫。

蜻蜓的产卵方式

在明亮的池水中找到了碧伟蜓的稚虫，这点让我有些在意。为此，我去调查了蜻蜓的产卵方式。

秋赤蜻（雌性）

拥有产卵器的种类

蜻科的小伙伴们
巨圆臀大蜓及它的伙伴们
维利金光伪蜻等

拥有产卵器的蜻蜓种类会将卵散播在水中，或者依附在浮木或水草上。

秋赤蜻的卵

秋赤蜻在产卵。

玉带蜻

利用卵表面的黏性物质粘在浮木上。

玉带蜻的黏着卵

也有些蜻蜓会将卵产在岸边。黑多棘蜓在孵化后的前稚虫期[1]，会利用身体弯曲地跳向水中。

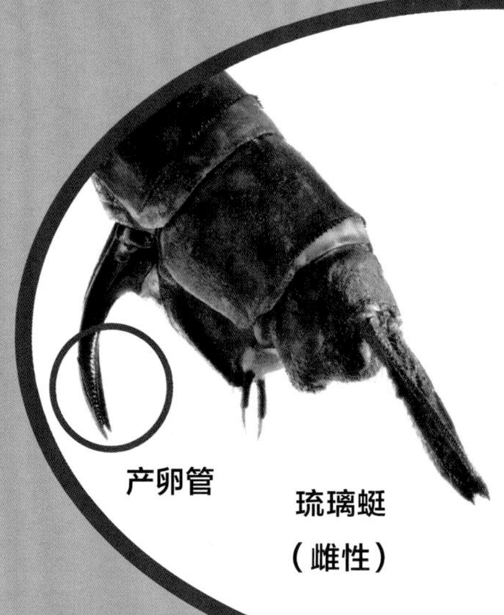

拥有产卵管的种类

蜓科的小伙伴们

蟌科的小伙伴们

色蟌科的小伙伴们

拥有产卵管的种类，会将卵产在草木之中。碧伟蜓也属于这种类型。

黑多棘蜓

黑多棘蜓在土中产卵。

跳跃着的黑多棘蜓的前稚虫

黑纹伟蜓

黑纹伟蜓在产卵。

黑纹伟蜓的卵

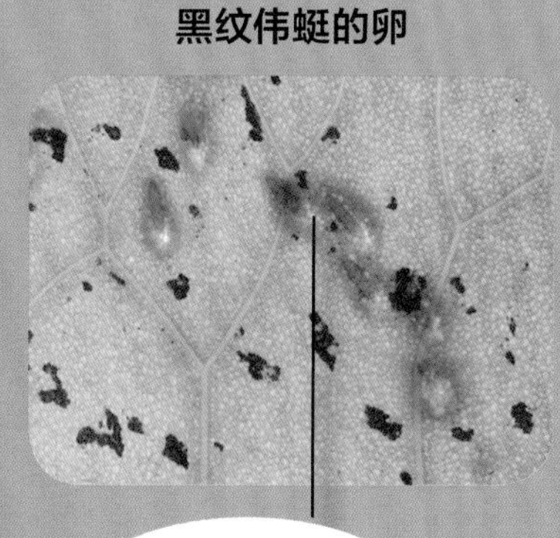

卵中可见黑纹伟蜓的前稚虫期状态。

我在对“拯救水虿大作战”的结果进行了详细的调查后发现，在其他学校有水草的泳池中发现了大量碧伟蜓的稚虫。

1 前稚虫期是指刚孵化后呈现出无皮的虾米形态的稚虫阶段。这时它们也被称作第一龄稚虫。

10月的泳池

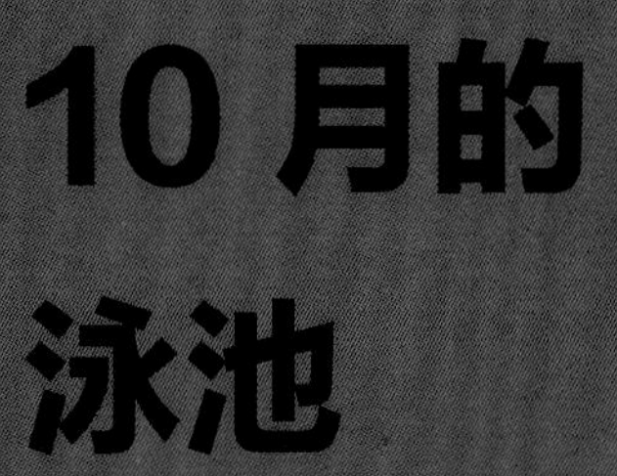

10月，草木开始染上颜色。一抬头会发现很多秋赤蜻在空中飞舞。

雄性秋赤蜻的尾端紧抓着雌性的头部，边飞边寻找产卵的场所。

此时学校的泳池中会是什么样的情况呢？

我们通过观察网兜里捞起的落叶，发现了类似秋赤蜻或大赤蜻褐顶亚种的稚虫。
它们是黄蜻的稚虫。

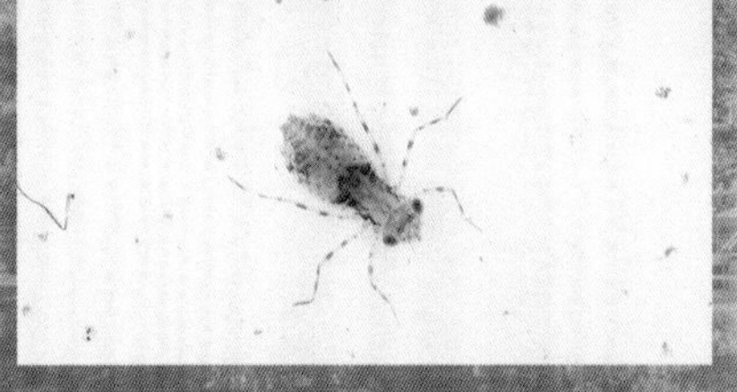

黄蜻从卵发育至成虫大约需要1个月的时间。

黄蜻的成虫

但无论我们如何寻找，也没能找到秋赤蜻或大赤蜻褐顶亚种的稚虫。这是为什么呢？
经过调查我们发现，蜻蜓的生活史[1]因种类不同也大不相同。
我们之所以没有发现秋赤蜻或大赤蜻褐顶亚种的稚虫，是因为它们会以卵的形式过冬。

种类	越冬状态（关东地区）	备注
黑纹伟蜓	水虿	多数在4~6月完成羽化产卵，所以夏天几乎无法发现成虫。
白尾灰蜻	水虿	越冬后的水虿在春天完成羽化，在秋天之前会一直重复产卵、羽化的过程。
秋赤蜻	卵	春天孵化，初夏羽化。夏天会迁徙至凉爽的山间，秋天会回到平地产卵。
大赤蜻褐顶亚种	卵	春天孵化，初夏羽化，秋天产卵。
黄蜻	多数无法以水虿的形态过冬	从东南亚等地而来，约6月出现在日本关东地区。随后重复产卵、羽化的过程。

1 生活史是指生物从出生、成长、繁殖到死亡的全过程。

12 月的泳池

12 月的校园已经完全是一种冬日的情景，基本看不见蜻蜓的身影了。学校泳池和群落生境里的水蚕们又如何了呢？

秋赤蜻

秋赤蜻产卵后似乎已经筋疲力尽了。

黄蜻的稚虫

黄蜻的稚虫在学校寒冷的泳池中越冬失败了。

学校泳池中的水虿们是不是都死去了呢？当我们仔细观察池底时，发现了约 0.5 毫米大小的卵。这是大赤蜻褐顶亚种的卵。而在群落生境里，也可以发现黑纹伟蜓的稚虫。

越冬的黑纹伟蜓的稚虫

接下来就是真正的冬季了。待到春暖花开时我们再见！

早春的泳池

寒冬过去，我们迎来了樱花纷飞的季节。学校泳池中蜻蜓的卵和水蚕们顺利过冬了吗？我们用网兜在堆积着落叶的水底仔细搜索，发现了各种生物的卵或幼虫，其中以能飞行的昆虫的卵或幼虫为主。但是并没有发现蜻蜓的卵和水蚕。

蟾蜍的蝌蚪。

小学附近的蟾蜍会在早春到学校泳池里产卵，然后孵化、长大。

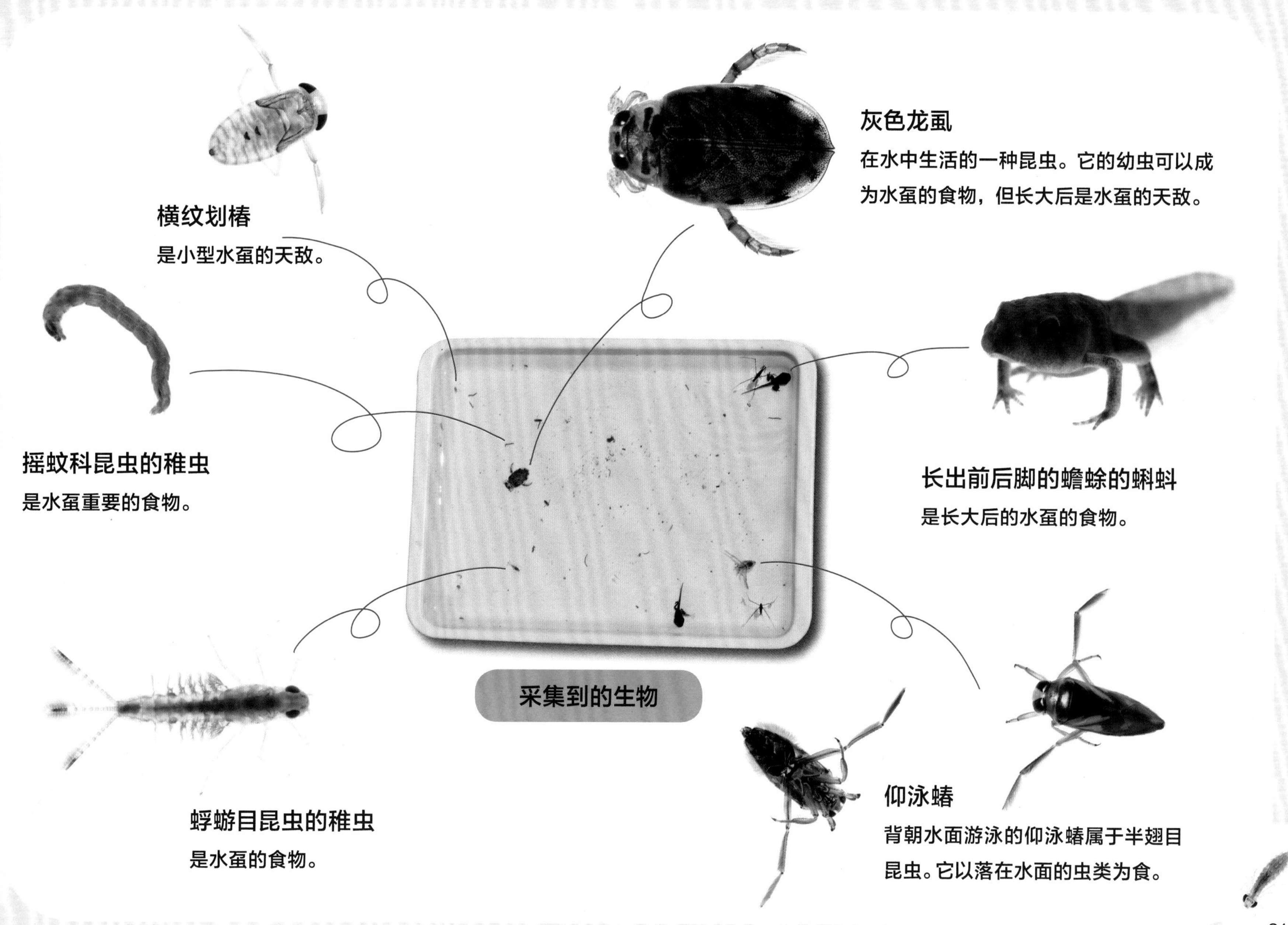
横纹划椿
是小型水虿的天敌。
灰色龙虱
在水中生活的一种昆虫。它的幼虫可以成为水虿的食物，但长大后是水虿的天敌。
摇蚊科昆虫的稚虫
是水虿重要的食物。
长出前后脚的蟾蜍的蝌蚪
是长大后的水虿的食物。
采集到的生物
蜉蝣目昆虫的稚虫
是水虿的食物。
仰泳蝽
背朝水面游泳的仰泳蝽属于半翅目昆虫。它以落在水面的虫类为食。

春天的群落生境

群落生境的情况如何呢？我们在水底搜寻了一番后……终于找到了！这是黑纹伟蜓的稚虫！周围还有一些小小的尾钩虾属生物。

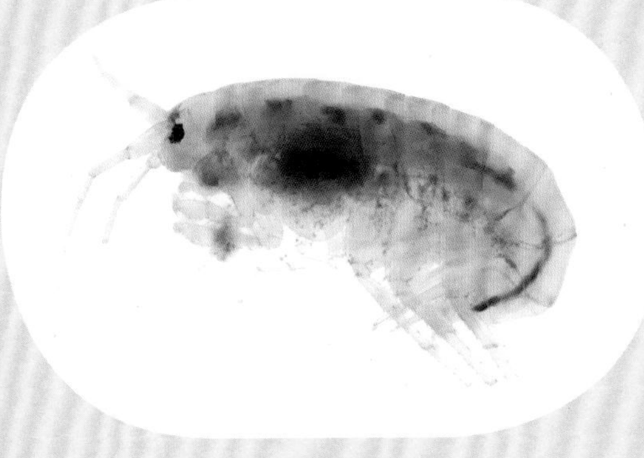

尾钩虾属

但是，我们反复确认也没有发现别的水虿或是蜉蝣目昆虫的稚虫。这是为什么呢？为了寻找更多线索，我们决定去离小学略远一些的公园池塘看一看。

离小学略远的公园池塘

在水边观察一番后，我们发现了正在捕食的褐斑异痣蟌。

很快我们在水中发现了学校泳池中没见过的水虿。

但是，依然没有发现黑纹伟蜓稚虫的踪迹。

褐斑异痣蟌

白狭扇蟌的稚虫

蓝绿丝蟌的稚虫

玉带蜻的稚虫

这次，我们去看被树木包围的小池塘。结果发现了许多黑纹伟蜓的稚虫。

我们还发现个头小的水蚕被盯上了。它们似乎被黑纹伟蜓的稚虫吃掉了。

水底的黑纹伟蜓的稚虫

5月的泳池

这是绿意萌发的季节，水边开满了燕子花。学校泳池和群落生境现在又是什么样子了呢?

学校的泳池中，为了方便蜻蜓羽化而放置的树枝上停驻着蓝纹尾蟌和水黾。

蓝纹尾蟌

燕子花

水黾

水底生物的数量和种类都比 4 月要多许多。此外还能找到秋赤蜻和大赤蜻褐顶亚种的稚虫！

5 月的泳池

秋赤蜻的稚虫

大赤蜻褐顶亚种的稚虫

淡水枝角水蚤[1]

剑水蚤[2]

1、2 体长约 2 毫米。卵被风吹入学校泳池并孵化。是小型水蚕重要的食物。

5月的
群落生境

群落生境里的植物们生机勃勃，我们在水边发现了许多蟾蜍的宝宝。而学校泳池中的情况又是怎样的呢？

小池塘

蟾蜍的宝宝

黑纹伟蜓的稚虫正活力十足地捕食。

正在捕食摇蚊稚虫的黑纹伟蜓的稚虫

仔细察看后，我们还发现很多黑纹伟蜓的稚虫抓着金钱蒲的茎，将头伸出水面。从那透明的身体就已经能看出蜻蜓的样子了。

我接着观察这些稚虫。

将头部露出水面的黑纹伟蜓的稚虫

黑纹伟蜓的大变身

天色渐暗，入夜了。原本静立不动的水虿迅速爬到金钱蒲的茎秆上。

8：08 PM

决定羽化的地点：

在激烈地晃动自己的身体后，水虿紧紧抓住茎秆。

8：18 PM

背部裂开：

水虿的躯壳从背部开始裂开。

8：22 PM

露出头：

头部从壳中露出。

8：24 PM

身体下垂露出足部：

会保持头部朝下的姿势，维持一段时间。

8：52 PM

身体向上抬起：

等到足部慢慢变坚硬后，屈起前身牢牢抓住脱掉的躯壳。

尾部脱出：
将尾部从躯壳中脱出。

伸展翅膀：
伸展出美丽的白色翅膀。

伸展腹部，体液流出：
将腹部展开时，用于展开翅膀和腹部的体液会流出。

羽化完成：
翅膀打开。

这是一场拼尽全力的大变身。

蜻蜓身体的秘密

6 月，时隔一年继续在学校泳池展开“拯救水虿大作战”的行动。在此之前我们对蜻蜓的身体构造进行了研究。

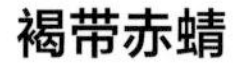

翅膀

它们的翅膀既轻盈又结实，还防水。一些种类还带有颜色和图案。多数蜻蜓翅膀上都有翅结和翅痣。

复眼

它是由 2 万只细小的眼组成的器官，可以观察到蜻蜓背部侧面的影像。虽然没办法清晰地看见东西，但可以追踪到快速移动的物体。

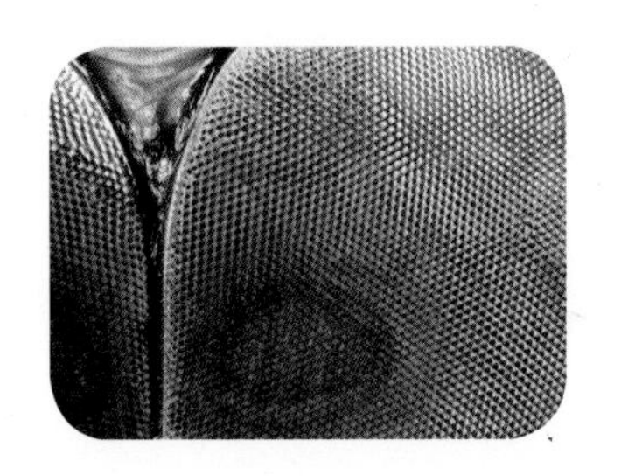

足部

为了能牢牢抓住猎物，它的足部有着锯齿状的突起。

胸部

因为控制足部和翅膀的肌肉很发达，蜻蜓可以做到 4 枚翅膀分别扇动。可以自在地前后左右飞翔，在空中也可以进行猎食。

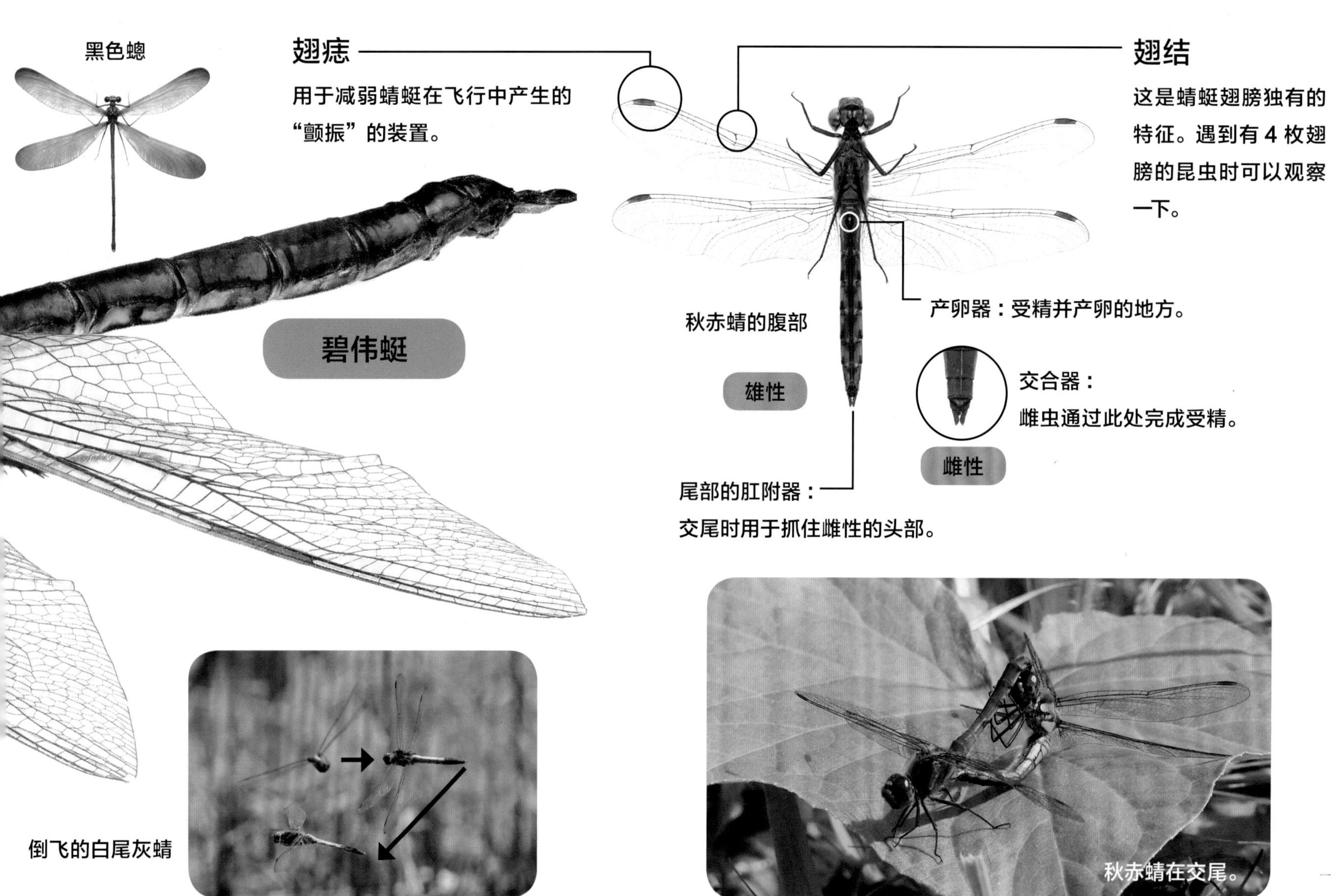
黑色蟌
翅痣
用于减弱蜻蜓在飞行中产生的“颤振”的装置。
翅结
这是蜻蜓翅膀独有的特征。遇到有 4 枚翅膀的昆虫时可以观察一下。
碧伟蜓
秋赤蜻的腹部
产卵器：受精并产卵的地方。
雄性
交合器：
雌虫通过此处完成受精。
雌性
尾部的肛附器：
交尾时用于抓住雌性的头部。
倒飞的白尾灰蜻
秋赤蜻在交尾。

“拯救水蚤大作战”前的小课堂

为了开展这项活动，这一年我们也邀请了杉并环境NETWORK 的老师前来讲课。孩子们都很兴奋的样子。

下课后，路过一个小池塘，发现了一只前来产卵的黑纹伟蜓。新的生命即将开始它的旅程！

后记

为了了解水虿是如何在缺少大自然痕迹的学校泳池中生存的，我们以小学为中心进行了观察，追寻蜻蜓一生的秘密。

经过观察我们发现，对喜欢清澈水边的秋赤蜻、白尾灰蜻这类蜻蜓而言，学校的泳池是它们产卵、生长很重要的环境。

除此之外，对水虿的猎物或天敌，以及以这些生物为食物的鸟儿们来说，泳池同样是非常重要的一个场所。学校的泳池为多种生物提供了互相依存的环境。

那里是众多生物在城市中的一小片绿洲。

飞舞着的是年轻的雄性黑纹伟蜓

这次，我们以学校泳池和群落生境为中心，对蜻蜓进行了长时间的持续观察。我们发现，为了让各种蜻蜓能够生存下来，丰富的自然环境是必不可少的。因此我们对大自然的守护也是非常重要的。守护自然听上去是一件非常难以做到的事情。但是就算是家门口一个小学的泳池，也同样存在多种生物互相依存的生活环境。请大家一定要仔细观察，说不定就能发现与大自然和谐相处的一点小提示呢。

非常感谢在本次活动中出镜的各种小生物们，以及热心提供帮助的杉并第七小学、平井小学的各位。

星辉行

昆虫摄影家。出生于日本神奈川县，在东京都长大，毕业于日本兽医生命科学大学兽医专业。从小就对各类生物有着浓厚的兴趣，养过各种各样的动植物。为了让更多恐虫人士对昆虫产生兴趣，他用自制的摄影器材拍摄出许多昆虫飞行过程的分镜照片，为青少年图书、图鉴供图，还撰写有关生物习性的文章和图书。

图书在版编目（C I P）数据

蜻蜓的秘密 /（日）星辉行著；光合作用译 . —长沙 : 湖南科学技术出版社 , 2021.12
（自然侦探团）
ISBN 978-7-5710-0965-6

Ⅰ . ①蜻…　Ⅱ . ①星… ②光…　Ⅲ . ①蜻蜓目—少儿读物　Ⅳ . ① Q969.22-49

中国版本图书馆 CIP 数据核字（2021）第 076343 号

QINGTING DE MIMI

蜻蜓的秘密

著　　者：[日] 星辉行
译　　者：光合作用
出 版 人：潘晓山
责任编辑：李　霞　姜　岚　杨　旻
封面设计：有象文化
责任美编：谢　颖
出版发行：湖南科学技术出版社
社　　址：长沙市湘雅路 276 号
网　　址：http://www.hnstp.com
湖南科学技术出版社天猫旗舰店网址：
http://hnkjcbs.tmall.com
邮购联系：本社直销科 0731-84375808

印　　刷：长沙市雅高彩印有限公司
（印装质量问题请直接与本厂联系）
厂　　址：长沙市开福区中青路1255号
邮　　编：410153
版　　次：2021 年 12 月第 1 版
印　　次：2021 年 12 月第 1 次印刷
开　　本：787mm × 1092mm　1/16
印　　张：3.5
字　　数：43 千字
书　　号：ISBN 978-7-5710-0965-6
定　　价：38.00 元

各种各样的水蚕

给大家介绍一些我见过的水蚕，还有很多品种我没见过，欢迎大家一起来寻找。

巨圆臀大蜓的小伙伴们

巨圆臀大蜓的稚虫

末龄稚虫体长约 50 毫米。稚虫期 2 至 4 年。生活在山地浅水的泥沙中。是分布在北海道至九州等地区的日本最大的蜻蜓。

成虫

体长约 100 毫米

蜓类的小伙伴们

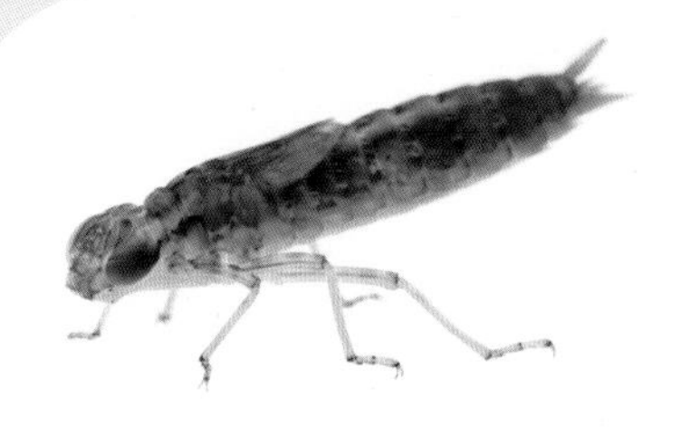

黑纹伟蜓的稚虫

末龄稚虫体长约 50 毫米，长相类似碧伟蜓的稚虫。稚虫期半年至一年。生活在周围有树木的池沼或是其他群落生境中。分布在北海道至九州地区。

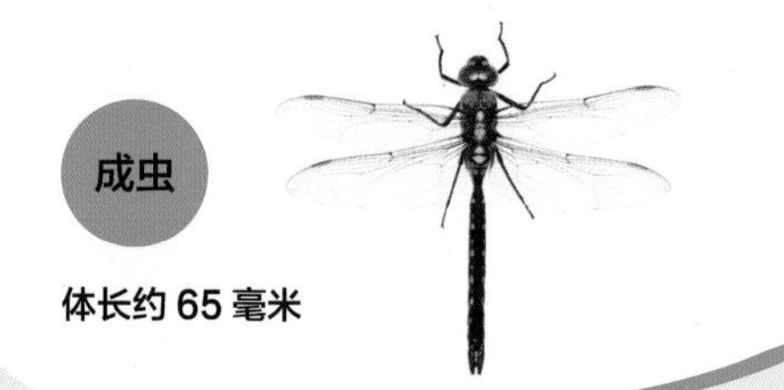

成虫

体长约 65 毫米

黑多棘蜓的稚虫

末龄稚虫体长约 43 毫米。稚虫期不足 1 年。生活在周围有树木的池沼及湿地。分布在北海道至九州等地区。

体长约 80 毫米

角斑黑额蜓的稚虫

末龄稚虫体长约 42 毫米。稚虫期半年至 3 年。生活在山地的水源源头至上游地区，依附在岩石上。日本的特有品种，分布在北海道至九州地区。

成虫

体长约 72 毫米

蜻类的小伙伴

褐带赤蜻的稚虫

末龄稚虫体长约 15 毫米。稚虫期不满半年。生活在水流和缓的小河中。分布在北海道至九州地区。

成虫

体长约 34 毫米

异色灰蜻的稚虫

末龄稚虫体长约 20 毫米。稚虫期 2 至 8 个月。生活在平原森林深处的池沼中。分布在北海道至九州等地区。

成虫

体长约 55 毫米

维利金光伪蜻

维利金光伪蜻的稚虫

末龄稚虫体长约 22 毫米。稚虫期 2 至 3 年。生活在林木围绕的池沼中。分布在北海道至九州地区。

成虫

体长约 60 毫米

色蟌科的小伙伴

黑色蟌的稚虫

末龄稚虫体长约 30 毫米。稚虫期 1 至 2 年。生活在植物资源丰富的河中。分布在本州至九州地区。

成虫

体长约 60 毫米

白狭扇蟌的小伙伴们

白狭扇蟌的稚虫

末龄稚虫体长约 27 毫米。稚虫期不到 1 年。生活在林木围绕的池沼、小河中。分布在北海道至九州地区。

成虫

体长约 42 毫米

春蜓科的小伙伴们

马奇异春蜓的稚虫

末龄稚虫体长约 27 毫米。稚虫期 2 至 3 年。生活河流中至下游的泥沙底。分布在本州至九州地区。

成虫

体长约 55 毫米